国家出版基金项目
NATIONAL PUBLICATION FOUNDATION

《三联经典文库》

第二辑

2012年国家出版基金项目

三联经典文库

116

抗战中的西北

徐盈　著

生活·讀書·新知 三联书店

图书在版编目(CIP)数据

抗战中的西北 / 徐盈著. -- 北京：生活·读书·新知三联书店，2014.1
（三联经典文库第二辑）
ISBN 978-7-108-04648-2

Ⅰ.①抗… Ⅱ.①徐… Ⅲ.①散文集－中国－当代 Ⅳ.①I267

中国版本图书馆CIP数据核字(2013)第253991号

116 抗战中的西北

责任编辑 龚黔兰
封扉设计 蔡立国
责任印制 徐 方
出版发行 生活·讀書·新知三联书店
（北京市东城区美术馆东街22号）
邮 编 100010
经 销 新华书店
印 刷 北京市松源印刷有限公司
版 次 2014年1月北京第1版 2014年1月北京第1次印刷
开 本 787毫米×1092毫米 1/32 印张 3.75
字 数 48千字
定 价 14.00元

《三联经典文库》出版缘起

适逢生活·读书·新知三联书店八十华诞，为弘扬传统，接续文脉，回报读者，服务社会，我们决定策划出版《三联经典文库》。

1932年7月，生活书店在上海创办，此后，读书出版社和新知书店相继成立。本文库第一辑、第二辑所选图书，来自于这三家出版单位及其分支机构，以及1948年生活·读书·新知三联书店成立后的出版物，始于1932年，截至1951年，两辑各一百种。此为第二辑，涉及政治、经济、社会、军事、思想文化诸领域，涵盖专著、文集、散文、小说、诗歌、传记、报道等体裁，既有直面现实、追求真理、讴歌真善美、抨击假恶丑的原创作品，又有引介世界各国先进文化、传播新知、开启民智的迻译之作，真实记录了那一代知识分子的思考与探索、理想与愿景和对中华民族文化传承与创新所做出的努力与贡献。

本文库所辑入各书，多为名家名作，在版本方面，以初版一印本或经著译编者审定、修订、增订过的版本为首选，因此本文库又具有较为珍贵的版本价值和收藏价值。

本文库还将编选续辑，使之成为恢弘文化工程。诚挚希望读者给予批评和指正，帮助我们完善编选工作，再现三联经典作品之风采。殊为遗憾的是，由于年代久远，一些原著译编者及其后人未能取得联系并奉付稿酬，诚盼版权所有者与我们联系。祈愿三联前辈所创造的精神财富能薪火相传，为中华文化的伟大复兴增光添彩。

《三联经典文库》编辑委员会

2013 年 8 月

凡　例

一、本文库为重排本，由繁体字竖排版改为简体字横排版。

一、以忠实于原作、整旧如旧为编辑原则，对当时使用的专有名词、外文译名，以及民国时期的语言和特色予以保留。

一、原书注释如旧，编者所出的注释，均以“编者注”标明，以示与原书注释的区别。

一、对原书残缺或字迹漫漶之处，以□示代。

一、对繁简文本转换时的“如右”、“见左”一类，对应改为“如上（前）”、“见下（后）”。

一、对原书中各种错讹脱衍之处，直接订正，不再以其他符号标示。

一、对数字、标点符号的用法，在不损害原文语义的情况下，做必要的规范。

一、本文库各书均前插原书书影、原书版权页和文库版“本书出版说明”。

一、本书出版说明的撰写，以客观中立为原则，扼要介绍本书的内容、版本流转、著译编者的情况。

本书出版说明

本书由《西兰风霜》、《最近的兰州》、《死亡线上的喘息》、《踏上甘新公路》、《宁青消息》、《回教徒在甘肃》这几篇文章组成，生动详实的事例描述，揭示了抗日战争时期严峻的西北形势，旨在呼吁国人及时地关注西北，援助西北；呼吁政府对西北给以实力接济：给予贷款，兴修公路，增加粮食畜产，武装民众，发动回回民族军队，等等，使西北成为收复华北和一切失地的根据地。

本书由生活书店初版于1938年3月，此次出版，即以此为底本。

作者徐盈（1912-1996），原名绪桓，山东德州人。1938年加入中国共产党。曾任上海《大公报》记者、重庆《大公报》采访部主任。采写了《朱德将军在前线》、《战地总动员》等新闻报道。1949年后，历任天津《进步日报》编委、主笔，国务院宗教事务管理局副局长。后曾担任全国政协文史委员会副主任，主持出版了四期《工商经济丛刊》，为后代留下大量有价值的近现代中国工商经济史料。是第六届、第七届全国政协委员。著有小说集《战时边疆故事》、《苹果山》，专著《抗战中的西北》、《烽火十城》、《当代中国实业人物志》，小说《前后方》，回忆录《北平围城两月记》等。

生活·读书·新知三联书店

2013年8月

生活书店 1938 年 3 月初版书影

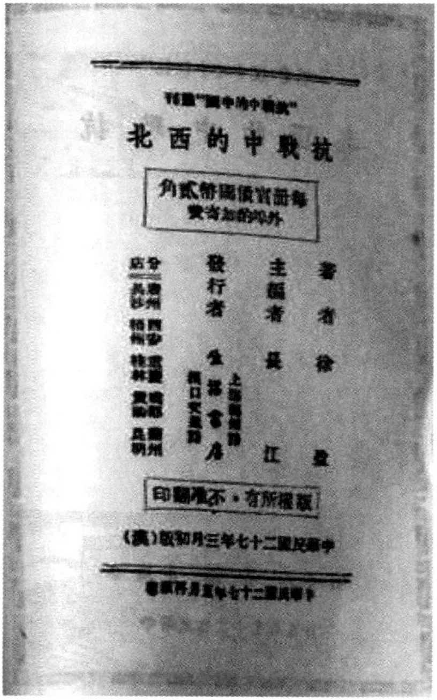
"抗戰中的中國"叢刊
抗戰中的西北
每冊實價國幣貳角
外埠酌加寄費
著者 徐盈
主編者 吳江
發行者 生活書店 上海福州路 漢口交通路
分店 廣州 長沙 西安 梧州 重慶 桂林 成都 貴陽 蘭州 昆明
版權所有・不准翻印
中華民國二十七年三月初版（漢）
中華民國二十七年五月再版

原书版权页

目次

西北大势（代序）

在西北唯一的感觉是笔杆无用，枪杆太可爱了。只有全民握起了枪杆，才敢喊“予打击者以打击”，才能“保卫祖国”！可是，直到如今，西北大敌将来截断我们的国际路线时，我们各方面还都在讳言“解放民众”与“武装民众”的一个基本口号。

朱绍良副司令长官在第一次的扩大纪念周上说：“不要把西北看得过分复杂”，这话在执政者是一种坦白，可是民众却不能放心，而认定了当前的局面是简单。贺耀祖主席的半年努力是只将西北“敷衍”得平静无事，朱主席虽然精明果断，但威望暂时也不能在兰州招集一个军事会议。

我们在西北的实力，计中央直属军队尚有孔令恂九十七师，杨德亮一九一师及周祥初四十三师。孔师在陇东及宁夏的中卫；杨师戍卫兰州；周师远在天水，他们都没有大炮，大半且都是新补充的士兵。此外则完全是回回军队。

宁夏有马鸿宾及马鸿逵两个师。马主席是有名的“花花公子”，盼望这次“并非内战”的开始时他不藏在阵后，兵士战斗力不大。马鸿宾是阳明派的老实人，作战虽有相当勇敢，但因都不出于“子弟兵”，在作战上的持久性成问题。另有几个补充旅，也是子侄统带。势力比较雄厚的是青海，大约有九旅军力，而且今年陆续到了不少东来的军火，最后有一批被马鸿逵扣了，报告当局说，这是日本枪，足以证明青海亲日；但另外却有一种说法，是青海用皮毛在天津和敌国交换过来的。在甘肃河西的还有驻在凉州的第五军，军长马步青，他的部下正在积极扩充中，民怨载道，因为河西已然被拉得没有了壮丁。日本人在他们的势力范围内已有所活动。

其次谈到政治。宁夏和青海的黑暗久已为人所称道，那里只有军人。而甘肃，贺主席的清廉纯正，完全被他部下人的贪污卑劣掩盖着了。

前财政厅长陈端献了“特货统制”的妙计，结果，政府赔本，民众痛苦，而渔翁马步青却得了大利。特税局的贪污，也呈显了甘肃空前未有的局面。省府最大的成绩是训练出来了近千人的区长、区佐、校长，但结果，大半都以为有了靠山，成为民间的老虎，专门帮助有钱人压迫农民（自然，有良心的何尝没有，太少了），朱主席来到后，首先取消了“特货统制处”，而新财政厅长也就飞抵兰州了，梁敬錞氏并对记者声称，整理财政以“甘肃不养中央，亦不累中央”为宗旨。建设也换新人，而教厅尤破前例，并非是本省人。在这种耳目一新中，我们看到每天省府会客室内每天济济一堂的酒食争逐的座上客，和各地水深火热中的民众相距太远了，政府直到今天，还不来解放民众，武装民众，我们还等什么时候？宁夏、青海都是一样。

有政治力量亟应努力使用，可以事半功倍，晚了，则万悔无济。譬如今日东北的义勇军是费了多么多的血力的代价，北平的抗日队又是多么难以组织。他们都后悔了，西北上正应亟起直追！现在只费一分力气，将来是要花十分力气的！

由上面看，各种问题，只能使人叹息，对西北，我们怎能乐观？

最后只有盼望国人在此时援助西北，注意西北，使西北民众起来，政府给以实力接给，使西北作为收复华北和一切失地的根据地！

西兰风霜

在今天成为陕、甘交通唯一大道的西兰公路，我们对它只有爱护一途。西安行营更拨巨款，要把全线都铺上石子，使今后的西兰在雨季不再稀烂，而负起它在西北国防上应有的使命。在这一千三百里的长途上，已在动员每家一人民工，在拾石子，风雨相和、奇寒之下冻结着的路面，有的已在翻修，一位工程师告诉记者："明春冰解，将要正式动工。"

西兰路上，军运频繁，客车稀少，记者得公路局范科长之介绍，得购票乘运油车西上。西安市上，全部汽车，都受统制，新绥汽车公司的长途车子更是全部走上了哈兰段的征途。商车载货，每吨给价七十五元，但全价常常不能拿到，而途中零件时常损失，每次便要超出所得，幸而司机人多半都能明白这是为了国家尽力，怨言虽有，可是不甚多。加之我们海口受了封锁，零件来源断绝，有些坏车无法修理，只好中途搁车。当记者爬上被指定的这部老旧汽车时，望望顶上一碧如洗的晴空，伏视这匹一九三三年的西洋骆驼，发生出一种不知何日能到兰州的感想——这真是一段漫长而无边际的跋涉。

一　先报告一件喜讯

从西安到咸阳，这一段路身很坏，车辙很深，特别是靠近渭河边际的土道更是毫无路面痕迹，记者走过许多北方的公路，这些路在雨季都成为泄水道，西兰公路到底是北方化的，竟然也不例外。

渭河上有了桥，咸阳古渡的景色消灭了。桥有两个，一个是新建好的铁桥，一个是铁路让给公路的那座很危险的木桥。

土原上有着起起伏伏的巨墓，民族祖先的灵寝下，大片的麦地葺葺的给广垠铺了一层薄毡，黄牛摇摆着尾巴在散步，黑羊白羊，成群结队地啮麦，冬麦不怕吃，明年还会生出新的来。牧童用鞭子打它，奏出了响亮的声响。

咸阳将要成为一个小小的工业区，房屋多已建好，那个新修理的古城头，不断地起着号声，城根下，渭河滩上，到处能看到了大批的军马，马势很雄健，牵马的军人也很剽悍。

同车的青海党部卢锦帆委员告诉记者说：这是青海派出来的部队。是马彪的一个骑兵师。自然，这是值得报告的一件喜讯。“回教徒已经参加了抗日的战线”，我们先前听说：宁夏的部队早已向东北部推进。这些骑兵的驭马和游击是值得推荐的。

记者到了西北，知道过去所谓回汉问题，在“抗战第一”的前提下，业已渐行融化。陕西彭民政厅长曾对记者谈到有几个名词很易误会，实在说：只有回教，并没有回族，除新疆一部分外，多是汉回；既是汉人信奉回教的，回族一词，不容成立。甚至土耳其人意译土耳其一字亦“周”字义。大家都是汉人，只有宗教的差异，毫无问题是应当一致联合起来的。有清以来的演变，多是主政者的有意挑拨。如今全民抗战，回教徒出一分力气是为各方企盼而且应当的。

一个个的骑兵从记者车旁擦过，据说最近的军纪已改好得多了，那种黑化的西北土原上稀见的英武和默罕麦德氏的精神使记者神往了许久……

二　匪患依然可惊

离开西安的时候，朋友便告诉我说：西安的城圈以外的地方，匪患依然可惊，一路上，证实了这个消息。

沿途中，穿行了渭水流域的棉花区，霜下了已好久，许多的棉桃依然在青着，这证明了北方是多么渴望着早熟棉种的推广，无论如何，要在霜降后几天总能清收了残花。今年的抗战，影响了陕棉的销路，冯泽芳博士说：“棉花总是有用的”，盼望政府和银行能够从速加以救济。

从咸阳到醴泉，中间有一段路是正在铺着洋灰。值得叹息的是有一段还没干透的路面上，印着很清楚的两列马蹄。醴泉以西有些地方却在改修路面，石子散碎地堆在各地。车子在黄土高地盘旋，干枯、贫瘠，昔日的福地，诞生了中华民族光荣历史的地方，如今是人为的灾荒引来了自然界的灾荒，一年年，把灾区越变越大。十八年大灾以后，各地的痛苦仍然没有复苏。

我们的铁骆驼本来载重已经过量了，可是咸阳车站上又添了几个士兵，硬来爬上峰际，不料在中途后肢便断了，勉强拖到了干县，士兵欣然下车进城，我们则进了没有门的小屋，出入都由窗口，到了夜晚屋顶上也住人，从秫秸缝里向下落马粪。

乾县，到现在为止，是灾区，也是匪区。

十八年时候，匪首王结子坐镇本县，使赈粮难来，灾民大部死亡。匪势最烈时候，是在县城门口公然抢劫。现在城里驻着一个团部，治安虽已好转，但据县内的几位小学教员告诉记者说：表面看来确已较前繁荣，但骨子里四郊残匪，夜夜打枪，闹得十分不安。捐税仍然很重，五十亩地要出到六十元钱，富户（财东）为了吃不消这小县城里的苛杂，于是都逃到西安去住。教员欠薪三个月，“生活简直不了呢！”实际上，还是没有脱离十八年的状态。

到夜晚，运粮到咸阳去卖的车夫，带来了消息，说距县十里的高原上有一所武则天的坟墓，在那里，他们亲眼看到大批土匪在等候车来抢劫客车。我们的车子漏网了，修理了一天，在第二天黎明时，仍不得不惴惴地走上了征途。

黎明时候，山地奇寒，大雾锁着远山，满地上都是一片霜白。过永寿，向邠县进发，旅途上有 ×× 师的大部徒手新兵在通过，所以泰峪岭一段险地，也过得很安全。沿着泾河，多数工人在铺着路面，行营的军人在许多地方代理了监工，使工作很是紧张。

到邠县东门，城门紧闭，门外堆挤着大批的人和货。守门军人告诉车夫：城里因为时常不安，所以在本日六点钟起清查户口，任何人都不能通过。我们的铁骆驼只得在城外候一刻，后来开城了，才受了检查，然后进去。

邠县在泾水岸，是陕省西部的一个大城。

三　陕甘边境

邠县的城外，沿着泾水，络绎的有几十里远的果树区，这其中，特别是蛋大的枣子，成为这一带的特产。看到这么大的果树区，使记者顿时回忆到灵宝黄河岸边的大枣林，砀山废黄河边的大梨林，山东半岛的大果林，我们有着这么丰富的名产，我们的战士不应当再羡涎日本士兵吃花旗蜜橘。全国的农业服务员，在后方执行的战士工作，便是扩大各方面的生产，一切不能再等待，一切不能再迟疑。

泾水岸边一段一段的红色工作旗，一堆堆的坟头状小丘，许多人正在砂里掘石子。大路边，石子按方排列起来，像是龙蛇脊椎骨，蔓延无际。工作人，有一些还带着发辫，大半都是留着长长的头发，反穿着光板羊皮在作着四角钱一方的拾石工作。□□□□[1]

大道上，更看到有大批的农人在背着锅盔（一种面制厚饼）向四方赶路，这有点中古残余的风趣。交通的便利，是开发西北最有力的工具，交通开发，生活像一

[1] 原书透印现象严重，只能以□□□□表示；下同不注。——编者注

条鞭子，会逼得落后的人民奋起。我们相信，如果没有公路，这些背着锅盔赶路的人，一定还是死守在鸦片灯下，喝着小米稀粥，在度过他的一生。各地方，也不会有今日的活气。

称为古战场的长武县，没有停留便向前行，这是陕境西部最靠边界的一县，前面有一个小镇叫窑店，在这里，陕甘边境人为的分界了。

这里便可开始看到络绎成行的左公柳，这点枯干了的老绿，成为近于沙漠的秦陇丘陵地带中的一点最可珍贵的颜色。绿色，一路上，只有靠近水的地方才能看到，水统制了中国的农业，水威胁着人类的生活。有水的地方，润泽富庶，朝气；没有水的地方干枯，瘠薄，死气。可惜是今年泾水流域雨水太多，闹得连此地农民最有希望的小米都欠收。外省人是曾赞叹他们的那种用醋浸辣椒拌着小米粥吃的习惯，现在连这点都难得到了。

可是穷虽穷，但吸鸦片烟者听说还很多，这一点很难解说。有人说：这次若不是重修西兰公路，两省的治安将要更不容易维持了。

没有到泾川，先看到的是城内探出来的教堂尖顶，教会势力在西北，真是大到无以复加，这是西北的一个大问题，而另一方面，教士们的刻苦精神也真值得钦佩。

我们在称为平凉第一大镇的白水住了一夜，那里有位甲长告诉我们征募壮丁的困难情形，我们的宣传工作确太差，到现在为止，农民丛中还很少和我们的宣传队接触过。这里，我佩服传教士！

虽然沿途上，也有很新颖的标语，写在黄土墙上，那是“双十二”时候共产党写的，如：“拥护国共合作”。

四　六盘山前后

从泾川到平凉，沿着泾水迂回走了一百五十里，这段路上，表现出西兰公路的养路工程奇劣。自然，泾水是北方式的河流，河床常变幻而少固定，但在这段路上，我们竟不能看到有一个良好的桥梁，和一段走着不崎岖颤震的路，高山是坡度太大，平地则完全是高低难行，这也难怪，西兰路上走一九三七式的新车，也不敢保险能够到得终点。

一路上遍地是坏车。六盘山在眼前，伏在车顶上，都不能不替我们的铁骆驼担心和险途心悸。

离平凉五十里到蒿店，入镇口的大门旁有着斑落了的标语，大字是“不分回汉”。出镇时，电线杆上高悬着一个人头，是为杀一警百用的，给过路的人们看看：政府对于劫车盗匪的严厉。

荒凉的六盘山的四周，没大出产，一亩地只能长出一百斤洋山药蛋（马铃薯），这是人们的普遍过冬食品！

西北一带的丘陵是土的，当地人称作“原”，但六盘山则完全是石头的，人们公认是个“山”。到了三关口，庙宇中的当当钟声令人忆起昔日威风飘飘的杨六郎，古代的西北决不是今天的凄凉，遗留下来的伟大遗迹也可以告诉我们过去的富丽。西兰路上古迹真是多到使人不可计数。到了六盘山根，粗看并没有什么异状的褐色山峰，近处看，可以看到山阴处浮着亮晶晶的白雪。山顶，温度突发二十度，高出海拔四千四百尺了。

铁骆驼喘着气，一步步地爬上了盘道，电射型的盘道，一重又一重，各色的杂石断层成云片状剥落，特别是绛色的泥板岩最多，铺在地上，粉碎风化为胶泥。有些地方，小泉流水，虽然在太阳底下，可是水流已经结冰，只有在日光下的一层，缓缓地向前飘动着，开拓出来一条小道。山高处，没有树，风太硬，连杂草都长不高。明朝窦文诗说："溽暑有风还透骨，芳春积雪不开花"，正是指这个黄、渭二水的大分水岭而言。

当我们在山顶上抚摸亮晶晶的雪时，下山了，又是长长的盘道……

下了山，长长的一滑下去，先到了隆德，这是一个回人很多的小城；天暮时候到静宁，这又是一个土山坳中小盆地上的县治。明时弃守此地，金人乃得长驱入蜀。地方因遭破坏，穷困而无大生产。

同车来的，路上加了一位公路的工程师，记者先把“道听途说”的许多话去问他。他对于工程时代的黑暗情形同表憎恨，因为他还是一位抱着牺牲精神来西北服务的青年人。我们都感到政府的大量金钱花掉，在下属的重重剥削下只是逼迫民夫作些垫土、平面等工作，而不愿以相当金钱购买平面机、小型压力机等物实事求是，结果作下来的，仅是一堆平整的浮土，一遇雨季，全路崩溃，真是一件大失计。盼望这次修路能够不再走上覆辙。青年的工程师，尤其要彻底肃清这边区的重大黑暗。

夜色里的静宁城内走一转，百余家商店有半数挂着“营业分处”的招牌，在公开卖烟，购者如过江之鲫，每家每日可以卖出三两，每两平均二元五角。这样寒苦的地方，鬼也不会相信每日有四百元变作袅袅的轻烟。

五　一步比一步的穷苦

这一路上，无时不在担心我们这匹铁骆驼要失掉了活动力，终于它病倒在静宁了。在这里候了一天，承路局主事人的好意，使记者得重新购票搭乘他们已受了八天风霜的载客柴油汽车上路。

西北路上，一步比一步的穷苦，每个人都是花了他们的最大的劳力，而得到了最小量的报酬。

翻过祁家大山，看见地壳变动，使旧日的甘陕大路下陷，左公柳被埋了梢，山中间积水成“海”，因为一部地层没落了。来了一个不好的消息，说这部柴油车子只走出六十里，坏了。在界石铺，换乘了一部露天的柴油载货车，大家下来推了半天车，走出了二十里，车轮爬不上那百分之十的大坡，据说又坏了。两部车子的司机似乎早就开好了会议，把客人扔在界石铺，这里不是车站，便相携风驰土摊而去，坏车子也会风驰，若非记者亲见，决不敢造谣。

一行旅客三十人，面对面的望着走进了那古风犹存的几家小店，这时候，老规矩已不存在，每日价目犹依然是二毛，可是不再送吃一碗面条。

我们一行人在这里候了两天整，刮着西北风，下了不太大的雪。请想想旅客这时候对于公路局的印象吧，大家聚在一起，所谈无非这一条路的“路谱”。打电报没有电，派人搭车去车站交涉，而来往频繁的军用车又绝对不允乘坐。

客店对面是一所学堂，昨日有太阳，学生都骑在墙头或蹲在屋顶朗诵“子曰，诗云”，今天天阴了，不闻人声，记者进去参观，学生正分布在各墙角下烤火。中间有校长室，上墨书“礼义廉耻”之意义，校长见了外来人，不说话，而学生则纷纷从书堆中找出了《国语》。

这里，是昔日的名匪区，老百姓都惯以此为副业，但现在因驻了一营交通兵，维持尚好。营长因地方熟，剿匪有功，所以提升为团长了。外加有二千拾石子的工人，所以使这个两县交界所谓“两不管”的地方，住下三十个外来人还没有危险。

生活高涨，交通使粮食价贵了。昔日武威城一元可买七十斤锅盔（饼），而今一元买不到七斤。此地的麦价是小麦一元三升，莜麦一元六升，荞麦一元九升，同院住的兵，都是吃荞麦。这里许多人家都有地窖，恐怕是因为灾荒太多，每家总要省吃俭用，存下一年以上的粮食，豪绅以存三十年粮为荣誉。地下水在地下九丈，存粮三年无臭味，真是一个天然的粮库。此地邮政代办所所长告诉记者说：“此地饱的很，外面看起来是穷”。虽然，据说，实际上饱的人也不太多。

虽说开发西北的呼声已过去，但建设不可忽视。甘肃当前的农业问题，除了铲除封建式的剥削及水利要有办法外，还要有肥料、抗旱种子、新的农具和真正刻苦的农民（鸦片使西北的农民已经懒了），鸦片的种植，在本省确将绝迹，不是禁的，而是地力已坏，种也不长了。要振兴甘肃的农业，一批测候所，一批土壤研究员就应当首先在这土原丘陵上开始工作了。

甘肃的每个农人都种植不了他自己的土地面积，过去政治的黑暗，更使熟荒加多，我们为扩大粮食生产，这一个天然的粮库，亟应扩充起来！

第三天是一个有暖和太阳的晴天，这候车客人的代表是勉强派出去了。二十余人散布在院子里徘徊。这里虽然是一个贫苦地方，但生活程度之高不亚于大都市。同车的有蒙藏委员会的王彝九先生，他告诉我甘肃河西一带的苦况，“有几县，你有钱也会买不到东西吃”。下午，又和村长讨论到救国公债的合理分配，他们是三百户的村庄，派了六百元。

第四天，宁静站长携同我们的代表带来了一部货车，站长告诉我们说：

“再过半个月，就连货车也坐不成了，路局根本没有车。”我们一群人只得欣然爬上了这匹铁骆驼。

前面又是三百里的丘陵地带，有名的危险区域是华家岭。铁骆驼喘着气爬上又爬下，沉重的苍黄颜色使人起了倦怠。路基还好，坡地都没有铺石，汽车尾部追随着烟幕，络绎着像是一条土龙。

这天的中午很暖，青青的天，犹挂着芽状新月，汽车爬着山腹又转上山梁。高地的积雪在溶化，梯田的边际背阴处，都嵌了框，辉映的日光里像是都市窗饰的静洁晶朗的白“年红”。远处荒草堆里有着零乱的雪堆，像癣疥，又像疮疤，但有些白的癣疤能够移动的那是羊群。为了畜牧，这些荒地应当倡种苜蓿。

黄土，黄土，没有林木。峡地边，角落里也曾看到□□所村落。那土制的房屋遥望如玩具，财东们还有围子，上面有守望台。各处的草垛都像是野生的菌蕈，从生在墙边。偶然也见到一所崭新的小庙，这又可谓是灵魂的寄托所。汽车夫告诉我，这一段地带在交通路线未定之前，是一眼望不到人烟，现在已经好多了。

一路上邮车，货车，都是胶皮轮，牲口在拖着徐步。汽车一天的路程他们要走四天，落后，落后，随时都在落后。

这个区域里，偶然也可见到一点绿色，那是冬麦的萌芽，当地习惯不种冬麦（因易冻死），每年只收获一次，现在竟也有人敢在向着旧有习惯战斗，向着自然界抗争，这是值得奖励的事。我们如若希望这天然仓库能充实，西北的“一年二熟”的技术，是要加工来研究的。

夜晚，宿在定西县。夜站检查者严厉非常。他除了看到记者所有证件外，还费了两个钟头把记者所有的东西加以检视，连朋友托带的信都拆开。最后，他说：“这时候，你们知识分子出门有点麻烦，我说句不好听的话，知识分子里的汉奸太多。”

记者唯唯。

六　通过了最后的障碍

过定西，前面还有一道丘陵地带，称为“车倒岭”，自然环境既劣，同时又是山大王的出没之所。这段路的难爬与祁家大山、华家岭鼎足而三，六盘山是例外，那是石山，不是土岭。

为了避险，一串车子结队而行，其中有一部客车，便是才在前面遇到了抢劫的。土匪只要现钱，不要行李衣物，所以损失还不太大。××部的补充兵，一车车地和我们的车子交错通过，把一路的黄土都扬起来，使每个骑铁骆驼的人，都变为黄土塑像。

三个钟头，下了岭，是盛产甘草的甘草店。此地野生甘草颇多，当地人有的专掘甘草用来易粮。

过甘草店，离兰州还有一百二十里，这一路又是起起伏伏地穿过了多少涧峡和河床。我们这次不再为我们的铁骆驼担心，因为这匹骆驼是新的福特，正当年轻，而驾驭人也还仔细。

最后一重岭过了，看见黄河，人人欢呼。

东关铺一带沿河可以看到沙田，为避免蒸发，地面铺着石子。上面长着小棉花，一群妇女正跪在田里拾花，更向前是枯萎了的烟叶区，是兰州的特产。

五日出发，十四日午到兰，十天里没有得到一点时事消息，精神苦恼不可言状，到此才算释放。对于公路，还是那句话，我们只有爱护一途，我们不要消极的批评，而要设法促起他们向积极建设的途上去。

十一月十五日

最近的兰州

一　第一印象

绥远一部沦陷，我们的西北战线展长了，甘肃省已经不是后方，眼看就要变作前线。记者从太原来，到了西北中心的兰州看一看，也许是在前线上看惯了那种紧张的生活，一辆轿车把我拉进了那灰色的城门时，一种寂寞和凄静，压在我的心头，使人不敢相信这就是西北重镇的兰州。

兰州的道路很狭窄，除中山路以外，很难容两部汽车同时通过，据人说：昔日的汽车本就少见，西关一带大路正在翻修，石块大如冰盘，堆积满地，说是为了交通，可是路身依然没有展宽。国难时期，加之又是冬天结冻时期，有没有以巨款翻修这条不急之路的必要，许多人都认为是一个值得讨论的问题。

兰州的商品，一切都靠外方，自交通为军运独占以后，兰州市的生活程度更加提高。市场上一般都在缺货，一切存货都提高了价格出卖了。近年来最习听的呼声是“开发西北”，但事实上仅是把洋货大批的因交通便利而贩运进来，不要说没有建设起重工业，即是连纱布一类的轻工业也是全赖西安运来，棉花及棉织品的税收在十余万以上。兰州，这个古老城市，现在虽披上了一点现代的外衣，这仅可证明了工业社会之侵入农业社会无孔不入。交通改良了，生产手段和生产技术依然故我，于是便造成了今日的畸形。这以后如果交通没法恢复，对于一般人的“享用”一定要成为一个大恐慌。

最重要的还是粮食问题。兰州的粮价飞涨，小麦每百斤由七元涨至十四元。此地的粮食来源全靠北山，靠河西尤其是青海，可是近来这些地方米粮已绝。商人操纵固然是一因，而西北农民本喜好硬币，因受时局影响，使他们每家的屯粮都不出粜了，这样便影响到城市里的一般生计，特别是我们每天都在吃着最贵的饭。省府现已派员去青海购粮来平价，可是黄河目下已将结冰了。将来还有大批人马要驻扎此地，食粮呢？有人说：也许不久会像一八六六年，粮价涨到每斗银价三十余两的现象。

记者到兰州的第二天下午，受到一点意外的刺激。便是有不少学生排着队踏着棱棱的满街石块在喊抗日口号，一瞥时，便在省府门前解散了。后来，记者到了省府，某职员便叹口气说："这显然是和政府过不去，这种时候，这种现象，实不应有。"到了下一个星期一的纪念周时，贺主席又说明了俞讳的案子，政府是一定要办的，希望大家守纪律。许多朋友告诉我说，学生们的口号本是对俞晖的，可是临时改变了。这现象，太分歧了，记者于是相信了到兰后朋友告诉我的第一句话："兰州是一个非常复杂的地方！"

俞晖是建设厅的秘书主任，为了贪污，最大的是军用皮衣合同上每件浮报一元，已扣押在省府近两月，正在侦查中。此外还有省立医院院长韩立民，也是以贪污和妨害风化罪在起诉。贪污案件在各地都是少不了的事情，我们看见了九月十三日政府明令，禁止新县长及特税局长大事应酬和活动，想来这些事情一定有相当数量，所以才劳得省府分心，盼望政府能够迅速交给法院去作，那么民众一定就没有话可说了。

省府贺耀组主席真是全省最辛劳的一个人，他每天破晓就走进办公厅，每件公事都要自己划行，开会，会客，一天直忙到日暮以后，犹不能得到休息。十七日的傍晚，主席允准了记者的谒见，记者便首先向主席为国辛劳致最大敬意。主席身体很康健，态度很诚恳，就记者的问题逐项加以答复，记者晓得贺氏素日注意西北问题，且曾一度出任土耳其大使，所以有些问题都偏重这一方面。最后，对于军事问题也略有谈及。“近来都很好，”主席微笑着说，“回教徒对抗日已负起很重的责任，各方面都决心以物力、财力拥护中央抗日到底。”

关于共产党，他认为“他们说破坏后方抗日统一战线的，是托派，不是共产党。兰州设立了第十八集团军的办公处”。关于公路，他说“甘新公路虽不好，车子是可以通了”。关于军队调防后的防务，“分由保安队及壮丁来维持”。现在“全省的半数以上的县份的壮丁训练，都已开始，到明年三月底，甘省可以动员到三十万人”。省政府现在设有各种训练班，训练县区的下级干部，特别注意的是精神方面，毕业出来，有大批入党。

记者访问了各方面，各方面精神振奋，都能给人以良好的印象。不过，成问题的是民众太消沉，战事开始时期，大家曾经惊慌过一阵，都在预备“逃”，可是逃不是一个办法，经过长期的抗战，已经使民众认识了，现在的生活只是“混”，兰州如此，外县根本得不到新闻的地方，更不必说，而最有力量的青年学生，也因环境的复杂，大半被关在学校里，只有极少数的热情人（不过二十人），牺牲了学业和安全，跑到各县乡村里去宣传“救亡”。一个朋友很感慨地说：“到处都有敌人的民众——汉奸——在活动，可是没有我们的民众在活动”，这是实话！

此地汉奸虽无大组织，可是时常有破获。譬如最近妓院中有两名“姑娘”也因之被捕，使常作章台奔走之一部分官吏吃惊不小。

兰州市街上，据说因为大批逃难者的西上，已经增加繁荣不少。但古城风趣仍未失掉。不论雨雪，天一亮，中山市场的摊子便有买卖人，天一黑，十分之九的铺子都上了门板，只有发着红光的电灯在照耀着模糊的影子。兰州市上人口早已超过十万。新开的饭铺子都已添上女招待。“饱暖思淫欲，饥寒起盗心”，这两种人已经在冬之兰州市上活动了。

街市风景最可注意者是西瓜在出售，穿着毛皮吃西瓜，一点都不是假话，今年的西瓜价贵，皮毛尤其价高，由于各方面争购和军阀囤积，使市价高过往年一倍，而且日日看涨。政府有意在此地恢复毛织厂，但一切暂时还谈不到。

以烟叶有名的兰州市，水烟已为时代淘汰了。没见到什么地方有人吃水烟，满街上，连中国烟卷都稀少，触目都是英美烟公司的“哈德门”和“前门”。一些 × 国人到中国来非要买中国卷烟吃不可，这件事，有些人觉得是笑话，有些人却感到深深的痛心。

二　静静的兰州

静静的兰州像一潭死水，轻微的风波，根本不能使他激荡，兰州城的死气也非轻易可以驱除。青海的抗日军过境时，这里曾激起一点浪花，最近的朱副司令长官到来，又唤起了民众的热望，但这也仅仅成为微波，多少人都在为这种沉寂忧心时，敌人的飞机来自长空，在兰州郊野开始了残暴的处女作，这是十二月四日上午十一点的事，兰州今后将要没有安静，我们要一切赶快动员，起来吧，兰州！

兰州可爱处是有着西北风味的河山。朴质、单纯。城墙外围又围绕着一圈裸山，没有树，草也少，庙宇缺少阴郁和庄严，显示着神权已在日趋没落。城外的水是黄河，傍岸有着伟大的灌田水车，河水滚滚流，碎冰压挤着，顺流水突奔，宛如被逐的怪兽在浮沉，上流飘下来牛皮筏，靠了岸，皮筏便冻结在冰凌里，满身毛皮的人，把筏上的土货、鲜红的干枣子、已经退化了的锥粟和核桃，用担子挑上岸去，这些人，都是“不等价的交换”的执行者，他们作着农产品调换工业产品的职务。

说到了“人”，更是复杂，街头上的形形色色的通过者，正是甘肃复杂民族的一幅缩影。我们要动员全民抗战，兰州市亟应使全民有了组织，作为全省的一个模式，谁都不能否认的；兰州现在已经成了西北动力的出发点。西北的一切要健全，我们首先要健全这个动力的出发点！

为什么兰州这样的“静静”，主因是没有民众运动。自然我们不否认今天的学生、商人、壮丁，甚至妓女也都在受着组织和训练，可是，这种自上而来的“有计划的”工作，并没有得到预期的结果。记者会见许多位党部的最高领导者，他们对这种现象也并不忽视，他们很勇于自责，认为下级干部由历史的关系，直到今天止，领导力实在薄弱，补救的办法是招集下级干部加以训练，可是这些受到过训练的人，回到下级去工作的结果，依然是“无力”。

贤明的国民党的领导者终于归结于组织的不健全，

而人事的磨擦也未能完全免除。我们晓得国民党在最近加强组织的办法，是由选举改为特派员制，使主事人能放手做事，既不必联络党员，又可不必敷衍委员，这种组织法在西北已将逐步实现。这样一来，主要变成一个“人”的问题了。不论如何更变，我们觉得西北的危机日益加深，时间不再等待人，延迟一天便要多增加一分的后悔，负着实施中山遗教的委员们万万不可放任下去，空空的失掉了机会。

兰州市上的政治局面更是黯然无生气，财政厅长和建设厅长的迟迟其来，以及街头巷口“反贪污”的意识的高涨，都说明了没有开展。贪吏俞韦判了十二年的徒刑，这完全是民意督促的结果。实在还是太轻！

虽然，我们还要向贺主席致敬意，他是太辛劳了，他一天忙到晚，没有休息，只因他缺少几个良好的辅治者，所以辛劳的结果还是看不出什么成绩来。加之贺氏是军人，对于为政的轻重缓急，显然还欠认识，他来到了兰州，在一种芜杂的局面下，第一月就放了二十四个县长，第二批又放了四十余，甘肃一共不过六十七县，这样一来，全体更动了，亲民之官随便更动并不是一件值得颂扬的事。

财政的混乱状态更给人民以口实，于学忠时代本可有赢余，而现在近三月的不敷额已超出二百万。自然，目下的额外开支是太多，可是各处特税局长的贪污案子层出不穷（收款盖章放行，不开票据）是人民认为财政混乱的主因。能够收十缴三，已经可以称为廉吏了。建设方面的糊涂账更是难以算清，城内修路一事，老百姓最爱指出其中的黑幕。不公开的收支，最易令人发生疑问。

甘肃是绅权政治区域，兰州是绅权膨胀的中心。做地方官的人若不给绅士留个小面子，便很难维持着地位。所以，历年来省政府中的大批顾问、咨议都是一种“面子”设计，如今在城内各处走一走，其有省政府徽章而闲步街头者比比皆是，官多如过江之鲫，也难怪小饭馆中的伙计们慢慢的已经不再矜衣冠齐楚者为“老爷”了。

兰州城内的绅士片子很值钱，绅士的家人犯罪不能与庶民同罪，地方官吏知趣些的不必等到“片子”来到，便先从宽发落，失察的也应等到片子来时，“即刻放回”，“手续不必办清”；这样便日行助长了绅士们的威风。如果不这样，以后便不见得“好办事”。各地的小职员，人人肚里都明白这一套花头。

甘肃的军事局面久已呈无领袖状态，朱绍良氏于上月二十六日来兰州，给各方面以很大的激动。飞机场上的欢迎者至为热烈。民众也都耳语相告，以为西北大局或者可以免掉演成为绥远的局面了。

朱氏到来后，告诉记者说，他想自己到各方面去看一看，然后决定初步的调整。现在他已经飞到宁夏去了。

在兰州中央的部队有 × 师，其中一部可向宁夏开拔。朱氏和记者谈话时曾表示，他二十三年来甘时之局面恶劣甚于今日，昔日尚能安全度过，今日当然更不成为问题。“我做事向来用事实表现，”他说，“不喜欢弄些文字表面。”各方都很希望朱氏不久就能用事实告诉国人。

自从航空停止后，兰州陆续地出现了不少的谣言，虽然据说有一部是汉奸所造，可是一忽见便传遍四城，这也是由于大家苦闷，留心国事使然。这省会没有一个正当的游息处所，连个小公园都没有，逼得一般人，不是沉醉于章台，便是用烟赌来消磨光阴！

最后，我要说一声“烟”，在西北不谈鸦片是盲目。此地因了鸦片的“特货统制”，弄得民怨沸腾。烟民满街都是，鸦片的副产品也满街都是，譬如，白面饼上涂一层黄油，是鸦片烟子油，而烟子饼也可以喂猪。炸弹来了，烟氛中的市民都可奋起了，去吧，静静的兰州！

三　朱绍良会见记

十一月四日，在兰州是一个值得纪念的日子，敌人的飞机开始作处女投弹，使全城的人民感受到了战争的威胁，而浮动起来。

这以后，每天到五泉山的路上满是人，早去晚归，轿车络绎，处处可以看到避难者作活动。警察局长马志超氏感于第一次空袭时，竟然获得嫌疑汉奸八十五人，因而对于以受过训练的保甲长所组成的“防空总团”，这一个一千九百七十人的团体，还有积极整顿的必要，他告诉记者说：“我们全市有三百九十八个人力车夫，敌机来时，竟有三百九十个都头缠着白布，他们没知识，不懂得这就是目标。而我们的防卫团员也不晓得去制止。”城外的房价每月从六角涨到六块，粮价也是步步上升，所以，各方面对于后方这样的紊乱都表示关切。

兰州城内，对于民众训练已经很久，但少见功效，也是不可讳言的事。社会训练分普训与期训，前者是中年，后者是选十八岁至二十五岁的少年。普训每天三小时，现已训练到第三期，期训是每日十一小时，本月十二日，第二期就要毕业了。本市里受过训练的人，共在二千人以上。这样一个大数目，如果有组织，对于防空的储水储沙工作的执行，并非不可能。

此外，人力车夫和全市妓女都在受训练，以二百一十小时为期，他（她）们和普通训练不同的一点，即是学科为主，而以术科为辅。事实上，也没有地方给他们作体操。

甘肃省政最近有变化，即是由新来的朱绍良氏代贺耀祖氏为主席，朱氏是在军职外又兼了政治。

八日的午后，记者去五泉山访朱绍良氏。

朱氏首先从宁夏和青海的视察谈起来，他表示满意，记者问他是否宁夏的兵力过于单薄，他说“黄河冰冻之后，再加上十师也是没有用，现在马主席在欢迎宴会上已表示出最大的决心！”他解释了一个消息，证明了外间所传敌军攻凉州（武威）截断我们的国际路线的说法非假，便是敌人有一个混合团体徘徊在阿拉善旗的边界，有蒙古人，有日本人，有我们中国人，带了枪支和骆驼，企图到现在还没有判明，但很值得注视。青海方面很好，必要时马主席表示还可以出兵，马步芳师长现在病着，痊愈仍需要相当时候，他已经决定就八十二军军长，不成问题。就军事情形说，敌人若敢来犯，我们不但满有把握，且可“占一点便宜”。

“敌人的宣传太厉害”，朱氏微笑着说，“其实他们的兵力很单薄，每师不过千余人，五师之众，其实也没有多少人。西北的战争不能和上海比，不会有一寸土之争，一打也许打到眼前来，现在主要的是后方战，但是我们的后方却是太差……”

朱氏便表示宁夏因为靠近战区的边境，比较还要紧张些，越后方越差。这种不紧张，纯是人的问题，因为现在还谈不到政治。记者问如何可使后方积极动员起来？回答是要在上者的不时的督促。

又谈到绥远前线，朱氏表示我军仍在五原，只有马占山一部到了陕北。杂军仍在绥西。他同意马主席不准杂军入境的办法，绥远最近的情况仍然可以不抱悲观，因为各盟旗仍然通电拥护中央。最近冯玉祥要到那边去主持军事。因为西北军在五原誓师，冯氏在当地自然是有威望。

谈到此，省政府有人来问，“主席何日就职？”朱氏这样回答：

“这次的代理省政，我本来不知道的，所以我手下办文墨的只有两个人，现在根本不足以支配，何时接收，总还得有一个相当时期。”他又说：“请转告各方面不必走，走是心虚的，我不能随便更动人，我根本没有人。”

记者借机便询问朱氏对于当前政治的观察和今后施

行的方针。朱氏对于目下省内贪污事件深刻注意，他指出抗战中间一切都将为敌人摧毁，没有什么能成为自己的东西，“贪污者的眼光都太短”。这与人民的教育程度也有关系。主政者的审慎人选，尤为不可忽视的一点。

“我是不愿意说空话的人”，朱氏痛切地说，“一切能兑现的事情尽先来做，不必说空话。”

方才来宾中有马鬃山的代表，从新疆南部退来在报告该部状况。这也是省内当前一个大问题，朱氏说：他对此已有考虑，日内他打算坐汽车赴河西十七县一行，顺便还看看这条甘新公路。

朱绍良这次来西北，全国注目，省内的民众企望尤殷。今日的甘肃支离破碎，政治黑暗已达极点，应负的当前的使命又是这样的重大，朱氏驾轻就熟，又来执政，一定能在短期内有以慰各方的渴望。记者把这点意思表达了后，朱氏欣然说：“我要努力使后方积极起来，而且要兰州的民众明白：兰州是前方，不是后方！”

“起来吧，前方的兰州！”记者满心兴奋，离开了司令部。

四　国人在兰州

从十月初起，就有 × 国人来兰州，但给人印象最深的是十一月七日那个纪念苏联革命廿年的盛大宴会。欧亚航机从西安特装来二百瓶啤酒，冷风吹着通红的鼻子，玻璃杯顶浮起洁白的泡沫，五百只手抬高起来，主席贺耀祖先生，本来是主张联 × 的，这时便欣然地畅论两大国之密切握手，在“万岁”呼声不已中——在革命的怀抱里成长的这五百名战士的眸子里放射出一种感激的光芒。

来到兰州的 × 国人，都是康健、年青、热情、二十岁左右的人，他们是眼看着他们的祖国一天天地在生长起来。从服饰上便可分别出他们的任务，礼服整齐的是代表；皮大衣、鸭舌帽、满身的青色只露出一张血色的面孔的是飞机师；臃肿的草灰色棉衣裤、皮帽子、厚而长的护膝毡靴的是汽车机师（交通兵），× 国人和中国人站在一起，真惭愧，中国人的体格太差了，不要说 × 国人，即是和本年从额济纳特务机关破获的日本人比，便已经有点逊色了。

到最近，飞机师已有一百多，正在教练着中国学生，× 国机子是有 × 国的特色，机作棕黄色，三个推进器或五个推进器的都有，沿着兰州南山根下的平地，成行地放满了这种奇怪的东西。秃山上没有一株树，棕黄的土地上陈列着棕黄的飞鹰，一点也不感觉到刺目。有的机子没有配置枪械弹药，在候着，配置完毕立刻开到前方去。他们多数住在励志社，每天早晨用载重车载出，晚上载回。

无数的棕黄色的汽车正在甘新路上像一群搬家的甲虫似的在爬着。库伦到哈密一段最好，再往东，坏了，但路已冻僵，还可以勉强走，最坏的要算是东段的一节，重新翻修的地方，土已经被掘得松浮了，填上二尺土，五吨的车子过去，依然是二尺深的大坑，偶然不慎，陷进坑去，钢板立刻折断，甲虫不能爬了，这群人受尽了千辛万苦的来到兰州后，休息几天，车放下，人回去……

我们的车子也都完全被统治起来。每天不断自西向东开，满车都是比金子更贵重的汽油。一些汽车司机回来说，× 国司机在路上并没有得到什么好待遇，招待者舞弊吃私，用锅盔（一种面饼）代替了应有的面包。肉也供给得不足。他们佩服 × 国人，作事的勇敢、热诚和有责任心。没有汽油了，只好停车。如果汽油到时，不论三更半夜，刮风吹雪，立刻便添上油起程赶路，而中国司机们，却都在温暖的热被窝里，贪恋着自己的姘头！“本国人反而不如外国人热心吗？”真值得人来痛心了。

× 国司机到了兰州，首先看到的是在大路转角处的 × 文指路牌，那里指出他们的膳宿所在地。兰州虽没有好房子，但比起沿途可说好多，招待处动员了本地所有的西餐厨司，供给他们每日三餐，每餐一汤三菜和面包咖啡。菜是很丰富的，只有这里，中国人才能尽一点东道主的责任。静静的兰州市上，恐怕只有这两个机关忙，一个是负责登记车辆的运输处，另一便是这个招待所。

中午和傍晚，× 国人从各个人的工作场所回到街上来，挤满了街。兰州市上恐怕自有史以来，从来没有见到过这么多的异国人，那么狭小的街道上，本来是没有计划到有供给这样大批人马的来往的。

兰州的一般商人态度很不好，他们习惯使用着对待蒙古、番藏人的手段来对待 × 国人。一个二角钱的化学烟嘴，信口要价竟至五角，还价三角，依然不卖。一双毛袜索价一元五角，给到一元也还不卖。双方是用手谈和笔谈，非常有趣，但商人的狡猾，则实可惩罚。省政府本拟设一个官营的市场或合作社之类的组织，但鉴于目下运输的困难，终于没有敢来尝试。而目前的情况，对于 × 国人，确感到很大的不便。

为了 × 国人，省政府本来聘请了不少的特务交际员来作翻译工作，但由于来宾的多，仍是不足支配。后来，凡是兰州市上能写能谈 × 文的人，都有当一名参议的希望（如 ×× 旅社的主人即其一），虽然如此，仍然是不足分配。

这群在大革命后成长的人真能懂得爱“祖国”，在本国当然是非国货不用，到了“外国”，他们也要用“外国”的“本国货”，他们吸烟不吸充斥中上社会的哈德门牌和前门牌，因为那是英美烟公司的侵略商品，仅来吸山西出品的“五台山”及其他，他们开口便向翻译者说，“我们只买你们中国出产的东西”。可叹息的却是翻译者手里正拿着一支袅袅生烟的“大前门”。

兰州市上，到现在围观 × 国人的时代是已经过了，现在存在着的只是小孩还会追着 × 国人们笑，× 国人莫明其妙的也在笑，笑来笑去，引得旁观者也参加为之大笑。笑，也许是亲善的一种表示吧。希望两个民族永远在笑颜中。

落后的在西北，为了 × 国人来，也曾刺激得当局要改变一下市民的“落后仪容”，在出入频繁的东门里，小队兵士在作剪发辫的工作，不多时便剪了一小堆，我们更有多少陋习，若能因了外人的刺激而知痛改也算是一大幸了。

十一月，廿九日。

死亡线上的喘息
——祝贺甘肃农贷一百五十万

为救死亡　祝贺农贷

甘肃农贷一百五十万，第一期五十万元已早贷放完毕。民政厅长雪片似的接到了各县里受贷的“互助社”的来信，使他得到“无限的激励、安慰和愉快”，这是真的人民之声，这是真正的黑手字迹，人民和政府第一次在握手。便是在这种动力下，第二期的农贷又在十二月里开始了，这次是一百万元。

当第一期农贷开始，农贷指导员到各村放款时，民众说，“想不到政府真的来贷款给我们，这是多少年来所没有的事。”因为这多年来政府头一次作好事，所以“有的老百姓感激得流泪”，“有的人接过来崭新的钞票，手颤抖得拿不动那轻轻的纸片”。这一点“恩惠”，已经使人们感戴不浅了。

甘肃的老百姓真是稀有的纯良，他们对于高利贷和贪污的压榨，认为是当尽的义务。各处的县府委员很少有顾忌到国法的，每次下乡榨取一二百元者即属有良心之人。至于地方上的杀羊，置酒，送大烟，乃属当然的招待；而本地土劣乘机取巧，随后即以值百抽五的办法陷害平民，保长更浮收粮款，复利剥削，使人民流离，灾荒遍野。到处所见的是：“民有菜色”。

主持这次贷款全部事务的合作委员会总干事孙友农氏告诉记者说：“当这抗战期间，我们既不能够把民众积极的组织起来，若再不能放点款使民众来受□政府□□□□□我们还有什么法子来保证抗战的胜利！”所以，他排除万难，训练出一批来自民间的贷款员，使一百五十万元的大款，一点一滴的都能散发到农民的手里去。的确这是值得为甘肃的农村前途祝贺的。

甘肃的农村已经弄到无产可破的地步了，贺主席曾对合作委员会的贷款员训过一次话，说到“甘肃的农村究竟有没有的问题”，这的确是一句最透彻的话。历年来，民九的大地震，民国十五年的国民军入甘，十七年到十八年的大旱灾，二十二年与宁夏大战，二十五年的红军过境，二十六年的雹灾，都一次比一次重的使农村不得翻身，农民生活降落到人间地狱以下。

现阶段的农贷的举行，自然是有它的非常意义的，显然是农贷以为民族解放和独立自由尽一部分责任。对它，奢望不可有，过卑□□□□，当□□农贷最简单的一点即是可作为是“安定农村生活”，与“扩大农村生产”的一个“经济支柱”。特别是对于现下甘肃农村的经济饥渴，更为切要。自然，我们不能忘掉特殊的甘肃的环境，这点救济是否真正能救济了农民，可是，孙总干事在痛心中却作这样的答复：

“做，总比不做好！”

所以，我们愿作甘肃——农贷一百五十万的祝贺！

贷款的地方　兰州的四边

记者从陕西来，兰州东距一百五十里的定西县是最先走到的。这是一个地广人稀的地方，丰收一年可吃三年，五百亩以上的大地主比比皆是，甚至收粮千石不算稀奇，大家掘起地窖屯起半生的食粮来。这里人较开通，明白高利贷是犯法的，所以贷款用一种实物折价法。譬如每借款十元，仅给现款六元，其余四元，可以布匹来顶，如布价本为三元，就抬高到四元，合订一个十元借据，利息三分，如果借粮，每担市价八元却写十元的借据。

最奇怪的一种组织是婆娘账集团，不知道是那个高人设计，里面有一种奇怪的组织……放债以集为期（当地每逢二、五、八日有集），一集计息一元，到期不还，即将利归本起息，又怕放出收不回，更利用娼赌手段，拉拢劣绅、军人作保障，朋比为奸，无恶不作，成为西北稀见的仅有组织。

定西的东北是会宁县，一路上散布着精光的裸体丘陵，盆地中则堆集着简单村落。本县有心人估计，人民百分之八十是负债者，平均每人债额为七元（他们都是过着最原始的生活者）。高利贷，十分、八分的都是有良心的，以小麦来抵押，原价三元一斗者仅能押得一元。

绅权很大，有四大老爷之称，人民只知有绅而不知有县长。五年前，南乡侯家川有陈上户与马县长不睦，抗捐不交，县长大怒下派县警查拿，谁知陈绅高垒深沟，对峙半月，结果还是说合了事。

巍立于六盘山与天都山之间的是海原城，距离兰州五百里弱，这是山之国，出产大量的皮毛和粮食。二十五年五月，红军从陕北出来，由此入甘。胡宗南师曾在此地驻扎过，对回族感情尤好，回民称之为“姑娘军”。

地高天寒，城里找不出一滴水，饮水完全赖诸城南的山泉，居民为防旱，也在城里掘了二百七十三个水窖和雨池二所。住在这里望冬景最佳，因为每到暮春，草才萌芽，但逢秋汛，一切全凋，种植的安全期仅有一百三十八日，早种不生，迟种不实，农民作田根本谈不到肥料，虽然遇到丰年，一年的收获即是三年的吃用。

海原县居民百分之七十是回民。他们的高利贷和汉人并没有两样。大宗出产是皮毛和粮食。皮毛预卖，低于市价百分之六十，粮食预卖，差价一倍。当地 ×× 有时廉价买来，再运到宁夏去售。

从海原西北行，二百一十里到靖远，一片荒凉地带中，土匪多如牛毛，中间有干盐池一个，年产二百担。看到了黄河就看见了城，乌兰山屏障下，这是仅有的通宁夏的门户。

沿着黄河有三大滩，最重要的有糜子滩、三角城滩、和盐滩，主要产物为鸦片、麦、糜子、谷类。河工局日益腐败，今年七月多被水淹，北湾村的河工筑堤，动用民夫从不给钱，事后报销，使小学生在账单上用浓墨按指印，清晰可观。民粮每年给河工局的有二百担，不知去向，有人赴省上告，省里批回地方查办，地方当局便把“原告”压起来。

北湾村的事情很多，都是很好的标本。壮丁分配到某保四个半人，市价每人二百元，可是保长竟要到二千七十余元。第一次征兵时，靖远五区是三十五人，区长偏要来派四十五个人的款。多了十人又是二千元，他自然便放到口袋里。今年这一个乡村的负担是：地方费四百零八元，自治费一百二十二元（这二种名称，混淆不清，支出不明）。兵站杂费一〇五元三角，粮秣补助费八九二元五角（其实，兵站早已取消，军队过境，亦是公卖公买，粮秣皆由省府支给的）。此外还有陆军医院开支十元，区队副十八元，保甲经费一百二十元，学款九十元四角，更值得注意的每百元区长都要坐收十一之利，而又为保持自己的地位，叫老百姓缴买枪费，为“区长造武力”。

普遍的高利贷是用“大加五”息，借钱一百元，还钱一百五十元，不分时间早晚。

靖远在民国二十二年划了一半地方给昔日的红水县，合并而成为今日的景泰县，此县距离兰州三百五十里。这是一个烟民区，地大人少，每方里不足一人，地主越富，佃户越穷，通行的租佃制度为“三七”或“二八”。即地主坐食，尚多于佃户一倍。

县府职员多拿不到薪水，全赖在乡下催款，地方暗送的劳神钱、鞋脚钱以维持，所谓“委员下乡，百姓遭殃”者是也。某县长以低价在四乡收买大烟，各职员，争先效劳，不独不向县长要津贴，反而自愿倒贴若干元，以便奉委。这县长调走时，还要地方老百姓恭送匾幛，以志德政。这种的政治下，高利贷主纷出，有马牙右，马牙海，马子兴，郭二，红胡子，黑胡子等四十余人，都有稳固靠山，习惯利息为驴打滚（即利上起利，息上加息）。到期不能还钱即吊打，更可随意领去欠债者的老婆。有彭礼恕者，欠郭二纸烟三盒，十日一滚，不知如何计算，成为一百五十两鸦片，该郭某异想天开竟拉去了彭某的大马一匹。

农民没有办法，只好离开土地，结队做偷盐工作，白墩子有个大盐池，税丁恶如狗，抓着即死，可是，当地有饭吃者不过千分之六七，偷的人很多，他们以为早晚也是死的。

景泰的西邻是有"米粮州"之称的"永登县"，这是甘肃的一个最大的县份。有广大的牧场，有起伏的番地，另有土司统治着。每任县长到任时，都要"巡番"一次，每次掠来马匹、皮毛、土货，最少约三千元，是个肥缺。

这里有些奇怪赋税，中饱太厉害，譬如所谓“斗计税”实征六千二百余元，缴出一千二百元，所谓“店捐”实收一千二百元，交出三百元，苛杂既多，人民只有靠高利贷来生活，“能叫钱吃亏，不叫人吃亏”，这是这些魔王们的劝人入套的甜言蜜语，入套之后，每借百元即出二百元收据。春三月借大洋十元，六月时即须还大烟六十两，到期能还清者，每两以一元计算，共计六十元。若以小麦一元一斗订价，至不能清偿时，则每斗粮以六元计，共计三百六十元（称为翻三番）若债户逃跑，则以其人之妻、女为抵押。

某村住户王劳三借高利贷六元，用翻三番之手段滚成六十元。债主将他的八十元的肥马牵去，作价四十五元，所余的钱，限三日还，到期没还，乃将王君打得鲜血淋漓，村长怕事闹大，于是去劝架，没想到债主去县府告了村长“率壮丁深夜拦抢”，吓得全村逃亡，一千七百亩田禾全荒。终于全村集款三百五十元了事。

虽然说这地方太穷，但总还可以有钱借出，兰州以南的永靖县，居然连高利贷也借不出来了。

人的社会还有比这再坏的地方吗？曰有，在陇南与河西。

在甘肃，人们谈起了“暗无天日”的地方来，多是痛责河西（即黄河以西甘境十七县），而宽恕陇南，其实，这完全由于“民族观念”在作祟。实在说来，陇南的黑暗，也许会超过了河西，后者是士兵出身多的农民，尚守规矩，而前者上下一齐不守规矩。

贷款的地方　陇南的鸟瞰

从兰州南行，先到洮沙县，中间有摩云岭，二十里的山路甚险，匪徒出没，能否安全通过，纯然是看机会，过洮沙，道易走，是农业区。辛甸镇一带，每亩价值百元。河西面即回民集中地的宁定，民国十八年时，曾与洮阳互杀了二年。渠地中以孙梁家为最好，禁种鸦片以后种了黄烟，这里是赫赫有名的“洮惠渠”。

再向前，便是历史上有名、文化占最高地位的临洮，教育成绩最佳，成“千岩竞秀，万壑争流”之奇观。全县学生七千六百五十余人，占全人口百分之二十八。高桥农民黄廷明贷款四十元为儿子上学用，这是任何地方看不见的现象，而吸鸦片者仅占人口百分之二点五，亦为他处所绝无仅有，这不能不向提倡新教育的杨明堂先生致敬，虽然，我们并不绝对赞成他们“大汉族主义”的倡导。

洮水上有浮桥，是通各地的大道，车过须交二角，牲畜则交一角。有番民过桥，赶一马，捐款老爷向之索钱，无钱，乃取其毡笠。事过，老爷谓人曰：“番子不懂规矩，只有如此对待！”这，顿使人想到十八年的汉、回何为而屠杀了。

这里因为有公正的绅士，政治比较明朗，可是老百姓所受的痛苦，并未减少，有背景的赌博且不说，六月间漫洼镇驻军一连向第二区各保派粮两月，共六十四石之多。“粮秣采买处”使人民每人负五元以上的重负，每升粮市价九角，处价只给三角，且每升多量入二合，日积一日，如至十余石，又命令斗行照市价收买。绅士不是农民，绅士不能为农民解除痛苦。

比较减轻一点的是高利贷，私人放款多为三分利息，农村四五分。六月借粮一斗，八月还斗二，或多还二元。

“临洮到渭源，七十二道脚不干”，马援时代即知引洮水灌溉，今日当然更甚。二地的田间工作者不同，临洮多男子，渭源多女人。原因是此地少年人不敢出家内一步，怕拉兵也。妇人们都一齐进城饷军送草，半路住店，只好出售了送粮的口袋或挑柴的扁担。送的稍迟，副官老爷下乡了，先把保甲长用绳绑起来说道：“弟兄们挨了两三天饿，知道吗？”之后便用皮带打，为了避打，应先送副官“法币”（每次三十元上下；每一月总有五六次），然后再宰羊杀鸡，吃饱而去。

一天天，是在忙着“军队拉兵，老百姓赎人”的工作，村人负债皆因此，而某种人也乖巧，非真正农民不拉，怕闹乱子。此地以“鸦片”名于陇中，但是种烟者却穷极苦极，借人一元，给人三两烟，割烟时，天不下雨，勉强够还债，如果下雨，就负起重载，永远不能翻身。今年是最苦的一年，红军过境及五月间天公玩笑，下了六百斤一块的大雹子！

农贷调查员在徐家庆农民侯玉堂家里组社时，一个小孩子大哭着喊“我饿呀，我饿呀”。问起家长来，他回答道：“每天只喝夹杂粗面的菜汤二顿，没有馍吃已经一个多月了。”他们的生活的必需品都给了别人。

顺河到陇西，这地方更是惨苦。甘肃的人口固稀，地则不广，凡是山坡小道，坡度较小者都垦土种植了，今年的兵灾、雹灾，以及七月中的雨灾使麦收对成，豆收三分，烟不足给工钱。× 军收过了“抗日费”，× × × 师又来折价购粮，十四元的麦价只给五元。市粜一斗，只上九升，真是“一纸公文，鸡犬不宁”。因此故，高利贷最多，现金月息百分之三十，烟息百分之七十，预支价格都是折半，青苗尤苛，不及收成的一半。借款自二月起，至田熟，收款多在七月底大烟收割时，还不起账，被悬起来吊打，名之曰“坐飞机”。

为了环境如此，十家九赌，公家抽头，汪家衙有账房八十多个，每天收头金千元。东门石家寺赌场每日抽头金八〇〇元，还账不足时，农民想发横财，反正早晚都逃不出“坐飞机”一条大路。

这里主要产物是鸦片，鸦片种户想不种已变为不可能，三五十元的债务压迫得农民年年还债，而永远还不清了。

但，高利贷之集大成者，则在更南部的漳州，漳水之滨的产盐一县。从十六年起，逐渐增加，由十抽一“每月生母款十分之一息”而至于集钱（逢集为限）又有驴打滚（本利重期翻身）。预先借钱到烟麦菜子成熟时索取的，称“提烟”、“提麦”、“提菜子”钱，都在十抽一以上。又有烟利，四五月借，七八月还，每元纳烟利一两，又有不写明利息者，称为“抢约”。政治的黑暗则不能不推岷县，由此也可见一斑。

岷县是个二等县，县府委员多至三十名，无给职，唯有依赖下乡的车马费生活。区有三个，下有十乡，区丁之多更可惊人，催公款时，到处强索鞋脚钱，区经费月定二百四十元，乡经费一百二十元，但实查每年区乡费收入总在七万余元。于是，人们竞作区乡长来发财。

中寨乡乡公所每月派乡公费八百七十余元，白龙乡乡长李如林，接事十六天，即派公费一千六百余元。这因为乡长出于公买，县定“标价”起码在七百元以上。前任周县长卸任时，乃廉价出卖，计岷阳乡长常重理以六百元买到，荔川乡长以九百元买到，中寨乡长石兆星以四百元买到，白龙乡长李如林以七百元买得。现在姚县长以“澄清吏治”计，将前任周县长出卖之乡长一律撤换。后岷阳乡长由申永安暗送金丝绒大氅一件，价值三百六十元，豹皮二张，价值八十元，麝香四个价未详，各科长委员说情费四百元，始将常重理之缺买得，白龙乡长易高华也花了七百元代价到手，宕昌乡由王晋臣以七百五十元买得，其余正在估价中。

姚县长接了事，更摊派马料每乡十石（每斗六元），朱谕四出，鸡犬皆惊。十乡共计为百石，六千元，县长此后“厩有肥马”，而“民无焦类”矣。

岷县地僻，本无地主，但因民十八九年“当归”药价太高，地价因而上涨，但最近已由百二十元降到三十余元，便引起特殊阶级之“栖隐林泉”意。鲁 × × 师长在茶埠峪买水田一千余石，中寨乡上地十石余，崖寺村上地三石，火烧沟一沟为牧场，有羊数百，猪数十，大牯牛八，水磨十三，油房一，一出东门即见丘陵丰登，堆积如山者，皆师长之农作物。可是，一般百姓，中庸之家不过吃菜汤，穷者只有草根可吃。

岷县南门外一片焦苦，雹灾在此地最烈。四十里到临潭。

全县是在一个山谷上，似楼梯样，收成少，种一斗仅收二三斗。洮河的森林多在番民手中。这里有一个特区，便是前土司杨积庆属地。有四十八旗番民，分生番、熟番二种，番民每年只交一升粮，年底交三十铜元外，别无支出，汉人大为羡慕，但最近，卓尼杨积庆土司死，已行设治"改土归流"，也许这羡慕又将成为时间问题了。

这里十八年前是能够自食其力的地方，十八年之乱以后，地方穷苦，于是高利贷兴起，对本利下，富者越富，穷者越穷。寺院也放款，月息六分。特别担负值得推荐的是何县长发明的"换单"，即每任县长在末期中将人民的营业执照另换，每张新照，价值一元至一元五角。届时县长派委员下乡督收，委员们一切均由换单民众担负，区长及保甲亦借机收杂费，每次县长可以收入到一万元。而且此地多银元，因与番族交易是必需物。法币一百二十五元换一百元现银，县长收来银元过多时，折合法币交给政府，超出数目当然入了私囊。

驻军每月要小麦四五石，一八○○元，大小豆六○担，一二○○元，连其他共计每月三九○○元强。谁然，兵不保民，却与乞丐、赌棍勾结，而且在军警林立之区，公然抢劫放赈委员！

贷款的地方　河西的展望

河西的名气在外面比较陇南更大些，所谓河西，是指甘属陇西在黄河以北的十七县，这里的黑暗堪与陇南相伯仲。这也难怪朱子桥将军视察归来说，河西的灾情不亚四川了。

四川的灾况与河西的灾况，其造成的原因一样，但差别的地方是四川有人赈济了，而河西，宛如纸包着火，硬要在表面粉饰太平。

兰州的西边，景泰和永登，前面已经提到过。再向西，便是距离四百三十里的古浪县。这区域是在祁连山底下，穿着皮毛依然寒冷。这是一个鸦片区，每年产土额在七十万两以上，××× 在这里公开采买。本年摊派了二十四万两，以每三两一元作价，其实分文不发，加之经手人的浮摊和戥秤的明增暗加，竟会超过三十万两。譬如第一区，产烟本不多，应派六千两，但区长张国瑞勾结劣绅唐海云，仅在暖泉一乡就摊派了一万四千两，除六千两外，多派的八千两入了私囊。

另外一个“折半”的事件即是羊皮专卖。古浪养羊，年产羊羔五千张，每张以一元五角计，可售洋七千五百元；羊毛一万五千斤，每百斤以四十元计，可得六千元。

如今不准商人自由贩运，全部以半价售诸驻军和区署，官立的采买局几多个，每局开支取自民间，全年的摊派又在二十万元以上。

驻军无事，以捉逃兵为职务，找到保甲长，按有无逃兵作索钱的标准。有逃兵者，送礼百元；无逃兵者，除送礼二百元外，尚须找人替代。

去年在“剿匪”中全城烧掉，本年三月开始建设，到最近，累死了六个人，骡、马、牛百余头，大车坏了九十余辆，委员来到，送过山礼十元至二十元，差役鞋脚费五六元，老百姓是“委员不走，不敢回家”。高利贷因了剥削愈烈亦愈高。春借一斗，秋还三元，全县百分之八十是负债人。每年农人收入，除还账外不足半年开支。

贷款来到农村，最值得忧虑的现象就是这手接款，那手递出，农民不独得不到好处，而更增加了他们的担负。本县包坝村有甲役，即将互助社社员挡着，索要公款，竟欲以其贷款充积欠，后经说合乃罢，如果“说合”不能，那不是只好贷给黑暗的统治者么？

河西的中心城市：甘州、凉州、肃州，担负大抵相同，其名称，如军事建设费、麸料费、马鞍费、开拔费、给养费、鞋袜费、紧急费、临时费。兵价、马价、车驼价，富户借款，每地每年总在百万以上。资本两万的商家，每年须出一万元以上的派款，因而，铺变为摊，摊变乌有。虽然，也有煌煌门面，金色招牌者，那是另外一流人物的营业。

当地人为表示实态，作对联一副，曰：

“一月三借款，农商交征；周岁两新年，阴阳合历。”各种杂款无奇不有，如（一）某某人为神庙挂匾，为布施，令地方摊派。（二）……。（三）春间推代表请赈，各灾区皆分派旅费二三千元不等。（四）袁耀廷代专员检阅壮丁，每县最低限度为送洋五百元。（五）青海某当局子结婚，河西送礼。……上列各种款子在索取时，驻军是附带“无物不索”。官绅已经打成一片，“上派一，民出十”，童谣各地起，最普遍的一个是：“富怕共产党，穷怕保甲长，壮丁怕穿二尺五，姑娘怕见 × 师长。”形容当时情况，至为深刻。

高利贷于今尤甚，每月一元认三角五角的利息为最公道，重的，借了二十元，一二年后倾中人之产也不能清偿。放款的人多是驻军亲友（河州马客），春放秋收，或者还钱，或者收烟（每一元可预支烟十两）。至时驻军帮助讨债，讨不到，吊打之外，还“掳人之妻、女”。

各地的主要出产是大烟、羊皮、皮货、羊肠。当某货价涨时，借口筹军饷为名，向农家摊派，或囤积起来，或向外批发；如果价落，则亦借筹饷为名，向农商高价推销出手。经商以外，兼营事业是放赌，赌场有三种，麻将场或麻将公司是常设，每月包银三十元，赌单双、色子、红宝等是临时性的，包银每月三百元。甘、凉、肃三地每处至少有麻将场二十至三十家，赌场十余家。

各县也很普遍，倾家荡产的不计其数。

昔日称为“塞外江南”的河西，乃是今日的“人间地狱”，如今已经普遍缺乏壮丁，刻薄点的人们说：三年后将无人迹！

动员——动员！增加粮食畜产

由上文，读者可以认识了甘肃的近影——西北水深火热的真相。

甘肃——所谓“复兴中华民族的根据地”是这样的水深火热，这样的暗无天日，谁肯信，谁肯信？在这样重压下的民众，如果不解放，怎能企望他们不做汉奸而积极有助于抗日？今日农贷一百五十万是垂死的弱者的救命食粮，是沙漠长途中的一口清水，是死火中的一点红星，是绝望中的一点希望！

孙总干事的话是对的，“我们再不能以金钱来组织民众，只有完事。”为了战争，为了前途，只要有组织民众的办法，我们为什么不立即来做；自然难满人意处是太多了，可是“做总比不做好！”

当前，一切执业者都在动员——合作事业者向这条路上动员是对的。仅仅的贷款是不行的，我们应当更积极的组织他们起来，使民众有力量来立定了脚跟作生产！……

目下，甘肃的主要产物是近千万两的鸦片烟，六百廿三万斤的烟叶和六十一万余斤的烧酒，这是多么大的浪费！农民如今何尝情愿种烟，只为了官厅要收“禁烟罚款”而不得不种，实际上，烟价仅足工资，稍遇荒歉，即为高利贷压得永不能翻身。甘肃停止了种烟，农民就得到了部分的解放！

全省的鸦片铲净以后，不必种什么棉花，积极垦荒，改良水利，扩大起来全省的种粮食区域，好供给东、北、南各战场上的食粮！路要多修，以便运输，为了节省汽油，可以广育牲畜，设起牲畜输运站，一段一段地加速起运，也并非不可能。至于农用牲畜，更是亟须，谚云：“家有十亩田，无牛活急死，家有十对牛，种地也不愁”，可为一证。“甘肃若有七百万元的贷款”，孙友农氏这样告诉记者说：“就可以够用了”。企望有力者能够真正给予农民一个复苏的机会。

现在，我们祝贺已有一百五十万元的农贷开端了。

十二月十日

踏上甘新公路

我们自己的黑暗事件，万不可再用纸包火的办法来掩饰，任你纸包得多么厚，总有一天要破围而出，浓浓的火焰在怒燃的时候，挽救已迟。

甘新公路走一转，只有使人激奋、痛心、失望，和恨国人的无组织——唯一的企望是盼当局立刻把他健全起来，时间不再等候！

甘新公路在今日是这么重要的一条路，修路费也花了一百三十五万，结果，他的“害民”程度却开了历史的先河。在其他的工程上，最大的限度不过是作工拿不到钱而已，最甚的也不过“有钱的不出钱，不出力，没钱的出力又出钱”，而甘新公路的主持修筑者，是使老百姓不但不能拿到应得的工钱，而且要出钱给驻军，这是“查验费”，不论路的修好与否，交了钱，百姓就可回家。注意，这里出动的千万工人，只有老翁与老妇，年青人再也不敢出来，因为他们很容易便被队伍看中了，扫数拉了去，补充了军队。

每当钱交不到时，主事人即用苛刑。三道沟的保长少交了钱，还挨了一顿痛打，结果又交了六十元，才准“收工”。还有一件惯用的刑罚是很合教育原则的，便是饿饭。几千人集在一起，不见炊烟，于是同作牛衣之泣，某地有一次找了县长来，县长也没有办法，终于“官”、“民”很稀有的面对面哭，最后还是勉强集些钱出来，“收工”了事。

这条路，从兰州到河口，本来早已修好，现又由建设厅花了廿四万来补修，同时可以通到青海去。古浪后立的山脉连绵，是沿着河源而行，这都是石方工程，开凿很狭，只能容一部车子通过，将来必须开阔；从凉州到甘州一路多水沟，这是祁连山上的雪水，供河西的灌溉之用，河西终年无大雨，今年夏季下得最大也不过房檐滴水，而这一区域却是甘肃省的大粮库，原因完全就在于雪水，现在水沟上已在架起木制桥梁。再西向，直到玉门内外，卵石平沙，正是天然的公路路基，我们的车站设在大泉，新疆的车站设在猩猩峡。

翻修了之后的路身反不及以前好，因为把路身堆高，浮土过多，本来的高低不平之处，都不能够看出来，车行不慎，极易毁车，加之往来车多，已在疏松路面上印出了两条深深的车辙，至为不便。虽然，甘凉附近的路面，为了观瞻，也有极好地方，但老百姓每天要泼水扫街，却辛苦到极点。

目下，桥梁的载重量，十吨以下的车子可以自由通过。这些桥梁，凉州以东是完全由“左公柳”斫伐制成，左公柳改为桥梁是正当用途，左公在九泉下一定点头称赞；凉州以西，则是由南山（祁连山脉）上斫伐的，山主即是军主，军主兼了修路督办，所以斫树也就不大成为问题了。公路经过的地方，是昔日的西北桃花源，又为今日的人间地狱，旅行人，拿了钱，可以买不到粮食的。各地稀见壮丁，来年的春耕更是一个当前的大问题（来往人这样多，使存粮要吃绝）！

甘新路上“来宾”多，为了他们，我们办了许多兵站来招待。仅仅是吃些羊肉粉条汤和黑面的锅盔，便已很不容易了。站长们一般说来都缺乏“事前的计划”，临时的慌张和手忙脚乱，即便是忙到死，也很难使人原谅，因为平时太没有准备了。

可感激的是这样黑暗的地方，竟然也有不少有良心者为国家来做事，如大泉站长孙干臣、永昌站站长范云昭，希能排除万难，给来宾以良好的印象。虽然，我们也不能不指出像甘州站站长某君，征发招待品，竟数次光顾到澡堂中的茶壶、茶碗，他不准商车开回头，但给钱即放的行为，是给中华民族又留下一个大污迹。

地方本不穷苦，但环境太恶劣了，逃亡的农民太多了。安西县本有七万人，现有一万九，这一万九也不会长期留居着，因为“上头”摊派时，过去十家要一百元，今日一家也要摊一百元！老百姓逃亡了，这是对于地方的“坚壁清野”，使安西县买一点肉，也要走一天汽车，去到敦煌县，大车一去一回，至少四天。

我们的民众之污秽、贪赂、无组织也很给“来宾”以不佳印象，他们的一个代表表示“中国太穷了，除非是我们的开车夫，别国人，再也受不了这沿路的痛苦”。他们虽同情我们，但我们的民众根本不理解他们是何为而来，这个机会，还要偷他们的车上的空油桶。× 国人向我们鸣枪示威，终夜坐守。

这条路上我们最不满意的莫过于无组织。组织的纷繁，互相抵消，就等于无组织。这么重要的一条路，承大家看重，建设厅有建设厅的组织，经济委员会有西北运输处，军事委员会有军事运输处，最近，还有第八战区的交通处也成立了。一个汽车夫开出车去，到了站，就根本不知道走进哪一“处”。

汽车夫的无训练、无责任心，尤使人痛心，我们承认他们是劳苦的，可是一车油（约九十箱）运到西边去，只余了半车，则不是劳苦能抵罪。固然美国的油箱不坚固是原因，但沿路漏掉这么多，是会要耽误多么大的事，自然这是小事，小事有时都能影响于全局，不可轻视。最值得痛心的是东路需车这样急，而安西还有商车二十余辆自本年六月到后，没有人理，也不叫他回去。

住在兰州，主持路务的刘公景山，我们承认是交通老手，可是老手的功夫若只用在对人应酬上，或酒绿灯红的嘻笑中，则国家损失太大了。刘公一身固不足惜，但国家的安危实在赖诸这一条线。

朱副司令长官最近也和记者说到交通组织的太复杂，拟加以调整。大概是将机关统一在战区司令部的交通处下统一指挥，盼望这计划能早日实现，尤其要注意的是除贪污审人选，甘新公路绝不允这样长期腐败下去。

今日，救甘新公路，即是救中国！

十二月十日

宁青消息

宁青两省在民国十八年以前都属于甘省，有唇齿之关，兹选录二篇，以示一般：

一　宁夏近讯

包头在十月二十日陷落了，五原又在十一月末一度告急，大批军人拥集在宁夏边上的善坝，这里面有骑×师的门炳岳部，有绅士李某领导的保卫军，有徐席如领导的屯垦军，以及挺进军等等，大家最后的办法是骑兵们退走榆林，一部分转往绥西，屯垦军则仍然留在旧地，这样一来，绥远空了，虽然有门炳岳氏的坚决“死守”，虽然有马占山氏的“领导民众参战”的主张，可是正规军队守不住，也就不能怎样奢望于国民兵了。于是，王英在汉奸拥戴之下，安然就了“绥远省长”。

为了当前的情势严重，马鸿逵主席不独拒绝了一切军队的入境，而且也拒绝了大群难民的入境，这次绥远战线上，宁夏派有一 × 人参加了，现在，宁夏大部队都集中在石嘴山和磴口一带。

宁夏是只有十县的一省，另外则有力不能及的阿拉善蒙古和额济纳蒙古，两大片沙漠和草原。说是十县，其实磴口、盐池和豫旺三县根本成为“化外”，另有两县的税收归三五师马鸿宾提取，省府收入实在无多。公务员的待遇菲薄，已达极点。所谓“厅长”不过五十元省票，中下职员仅为二三十元。当五原未陷落时，省钞一元八角换法币一元，到最近，听说早已跌出二元换一元的关口，在收入不足以供吃饭的景况下，大部职员们怎样维持生活，恐怕只有“天晓得”。

现在，征拔结果，宁夏已经没有了壮丁。省府更把各中等学校的十八岁以上的学生都纳入教导团，西北的学生年龄本就比较内地学龄大，这样一来，便成了“有学皆兵”的现象，学校大半停课，只有宁夏师范一处尚留有二三十人光景，“弦歌不辍”，仅赖这一个“硕果”。

这里生活程度之高，着实惊人，包头的来货路子已断，各物的价格只有飞涨。宁夏人来到了兰州，便很满足了，因为这里的物价比宁夏低。但，这条路子却不好走，最近抗日义勇军的家属赴新疆的途中，从宁夏到兰州，一共遇到五次抢盗，这些妇孺之辈，居然还能赤手捉得五名，这是“抢盗”，不是“强盗”足以证明。可是为什么这条路上有这样的抢盗，其原因很值得人来思索。

阿拉善蒙古的中心定远营，额济纳蒙古的中心威远营，我们各驻了一位军事专员。前者我们更在当地驻了

一 × 人，后者也有相当实力，两处现在据称都是“平静无事”。两处的特务机关早已铲除，这里我们不能不向民政厅长李翰园氏致敬，因为他的敏捷和决心，所以才能在本年七月肃清了额济纳的污秽，替西北除了燃眉的大患，否则，我们的甘新公路不会有今日的平静。

近两周来，比较平静。当局宣称蒙伪军前来不足惧怕，可是，我们鉴于绥远的失败——缺乏统帅，行动欠活泼，内部多磨擦，特别是敌人特务机关的活动，对于宁夏的当前情形也不敢太抱乐观。

中央已派有一 × 人在向宁夏行进中，可见中央已经注意到了，感于绥远的失败，不使再上覆辙，只有盼望驻镇兰州的朱副司令长官速来宁夏，加以调整。

二　青海杂报

从兰州到西宁的公路完成后，来往的人士很多，自这个省会到那个省会的距离缩短了。一群土耳其的羊毛商人，驾了一部破汽车过来，连吃饭的时间也算在内，只走了十三个钟头。据他们说：青海境内的地段，平滑宽阔，更是宜于行车。省党部马绍武委员，骑马从西宁来，一共走了四天。这里的马鳞公馆正在打扫，据说马主席也将要起身（这消息，朱绍良副司令告记者说，已去电劝阻了），由于各方面的来人，我们晓得了不少的消息。去年的十二月，青海的队伍和民团都在河西一带作着消耗实力的战争，而今年的十二月，是完成了新的建设。

青海的经济是依赖着毛皮和食粮，今年都不好。战争发生了，毛的销路断绝，羔皮也很少，原因是班禅喇嘛过境时，劝告上千上万的牧民不要再那样残酷的杀牲。这样，影响到了我们供给抗战用的五万件皮衣的募集，但，当地的主事者依然在努力着。粮食今年因了天时，没有去年收成好，但除自己食用外，还有大量的盈余，一度谣传的统制食粮并没有实现，但是大量的谋利输出也是不大允许的，除了以其他政府名义来收买。

马步芳师长最近很努力，为了提倡教育，在西宁市内盖了一所西北少见的中学校舍，更捐了自己的私产购买了十万元的公债。这次，政府指定青海比额共为五十万元，其余的数目，省党部在作扩大宣传，说要在三个月内完成。马师长最近身体不好，腿痛，身肿，传闻医生鉴定说，这是遗传。但当这西北很紧张的局面下，各方面都盼望马氏早日康复——尤其希望他能够来一次兰州，和各方面作一度的会见和恳谈。

青海的军队的士兵多壮丁，秩序很好，其下级官吏虽稍有病民举动，但地方则极平静、全省共有 ×× 师，此外还有一警备队，这次率部出发抗日的马彪，便是警备第一旅的旅长。他统率的步队，是本省一旅，此外，由甘肃河西的暂编骑兵第 × 师里抽调了两旅（有一部分是新编的壮丁），朱绍良氏曾与记者谈到他们，说他们近来在陕西纪律已经很好了。

这一省是西北从未种过鸦片的一省，这高原上，从来不曾有过一株烟苗。全省税收每年只有一百二十万，大家都是在很经济中过日子，各个职员的薪水是到了最低的限度，甚至有时不能维持生活，但额外的赏赐却是常常的，当长官高兴时，可以赏给属下一只羊，或一百斤面。这里麦价比较还廉，洋货则奇贵。用兰州的六七升合本地一斗，市价不过五元，而兰州则费到十元以上。抗战的空气已传到这里，民间宣传久已开始，但积极的，属于“组织的工作”尚未着手，因为当这时，农村里正在忙着打麦，一切将要过了这个忙期再办。西北方面虽然有些封建的积习，腐败和剥削，但另一方面，新的进步也在日有增进。交通的便利，是使关不能“闭”的原因，为了打消各方面的烦言，只有努力用事实来作铁证了。

十二月、三日。

回教徒在甘肃

一　回教徒的派别

甘肃民族复杂，其中以回族最有势力，一派是武力（这一派另文记载），一派是宗教力量，关于后者，根据多方面的材料综合成下列调查：

隋唐时候，回教传入中国，最初并没有门宦的分别，直到清朝雍正时候才具有雏形，大别为四，即（一）哲合忍耶；（二）虎非耶；（三）哈的忍耶；（四）库不忍耶，称为穆罕默德遗留的四大派。此外还有两派没有门宦的，即“老阁的木”和“新兴教”。

（一）哲合忍耶——汉意为“明扬正道”，这一派传到我国，现计八辈，大约已有三百多年，第一任教主马氏“寝灵”在兰州的东稍门外，所以也有名此派为兰山派者。教义以“孝、悌、忠、信、礼、义、廉、耻”为宣教宗旨，教主“替位”的时候，采取传贤制度。第二、三、四，各辈教主“寝灵”于黑龙江、平凉、开封诸地。五、六、七，各辈教主皆“寝灵”于张家川的宣化岗，现任第八辈教主是马宙臣，道德极高，现在因疗病留居北平。这一派教徒最多，计有二千余万，占全国回教徒百分之三十五，散布在河南、山东、新疆、云南、贵州、四川、陕西、宁夏、河北、江苏、安徽、浙江、辽宁、吉林、甘肃等省，尤以甘肃、宁夏最多，共分三千余坊（礼拜寺），每坊设教长一人，由教主在品学优良的阿洪（传教士）中选择。甘肃现有教徒占全甘回民的百分之四十五，陇南全部属之，陇东大半属之，西北各地皆有。现在教主除马宙臣外，陇南另由马之堂弟，马重雍（住张家川，属甘肃清水县）主持，马重雍氏现年仅三十余岁。

（二）虎非耶——汉译为“暗藏机密”的意思。

（三）哈的忍耶——汉译为“出家”的意思。

（四）库不忍耶——汉译为“存心养性”的意思。

这三派传到我国，也有三四百年，后来又陆续分为八个小门宦，即（A）胡门；（B）北庄；（C）大宛头；（D）碧家场；（E）海门；（F）沙门；（G）刘门；（H）大拱北。现有教徒占全甘肃回民百分之十五，全国回民百分之七，教徒散布于兰州、临夏一带，教务由本派重要人员共同维持，没有教主。

四大门宦之外，尚有没有门宦的两派，兹分述如下：

1. 老阁的木——汉译为“遵古”的意思，是我国回教中最早的一教。这一派没有教主领袖之称，各坊的教长，由本坊教徒在品学兼优的阿洪中择聘，现在分布很广，占全国回民的百分之四十五，占全甘回民的百分之三十，各省的回民，除哲合忍耶一派人外，多属于本派。甘肃各县中以甘肃、凉州、肃州、平凉、临夏，一带最多。

2. 新兴教——这一派仅兴起了有十几年，有研究性质，没有领袖，由一部阿洪所促成。没有独立的礼拜堂，常常与其他各派相混合，现占全国回民的百分之十三，占甘肃全部回民百分之十，归此派者以虎非耶、哈的忍耶、库不忍耶等派最多，哲含忍耶与老阁的木次之。

回教本身是有这么多的派别存在，平时对内，为了权利关系，各派也不免有忌心，可是，遇有外侮，作起护教运动来，那步伐却是一致的！

二　回教徒在甘肃的分布

甘肃省各县的民族分布制如下表（初稿）：

县名	种族民称	民族人口比例
皋兰	汉族：回族	9：1
天水	汉族	

续表

武威	汉族：回族	8：2
张掖	汉族：回族	8：2
民勤	回族：汉族	6：4
静宁	汉族：回族	7：3
岷县	汉：番：回	5：3：2
临夏	回族	
靖远	汉族：回族	9：1
永登	番：回：汉	6：3：1
固原	回族：汉族	8：2
庆阳	汉族：回族	7：3
酒泉	汉族：回族	8：2
定西	汉族：回族	7：3
陇西	汉族	
泰安	汉族：回族	8：2
礼县	汉族	
镇远	汉族：回族	9：1
宁县	汉族：回族	6：4
泾川	汉族：回族	7：3
平凉	汉族：回族	9：1
灵台	汉族：回族	9：1
武都	汉族：番族	9：1
文县	汉族	
敦煌	汉：回：缠回	8：1：1
临洮	汉族：回族	9：1
甘谷	汉族	
成县	汉族：回族	9：1
徽县	回族：汉族	9：1
安西	汉：回：缠回	7：1.5：1.5
玉门	汉：回：缠回	7：2：1

续表

高台	汉族：回族	8∶2
武山	汉族：回族	6∶4
崇信	回族：汉族	6∶4
西和	回族：汉族	6∶4
山丹	回族：汉族	6∶4
通渭	汉族：回族	8∶2
临泽	汉族：回族	9∶1
临潭	汉：回：番	4∶2∶4
永昌	汉族：回族	5∶5
古浪	汉族：回族	6∶4
榆中	汉族：回族	9∶1
会宁	汉族：回族	6∶4
海原	回族	
景泰	汉：回：番	7∶1∶2
渭源	汉族	
华亭	回族：汉族	5∶5
清水	回族：汉族	8∶2
隆县	汉族	
康县	汉族	
民乐	汉族：回族	7∶3
环县	汉族	
西固	汉：回：番	7∶1∶2
金塔	汉：回：缠回	7∶2∶1
宁定	回族：汉族	7∶3
庄浪	汉族：回族	9∶1
和政	回族	
正宁	汉族：回族	7∶3
漳县	汉族：回族	8∶2
永靖	回族：汉族	8∶2

续表

洮沙	汉族：回族	9∶1
夏河	番族（全归黄正清司令管辖，只有少数回汉商人）	
化平	班族：回族	7∶3
合水	汉族	
鼎新	汉族：缠回	8∶2
两当	汉族：回族	9∶1
康乐	汉族：回族	6∶4

（本表因初次调查只能指出回族在甘肃民族中的地位，而不能详示数字！）

三联经典文库第二辑简目

《游击战教程》　明凡 / 著

《游击战术纲要》　陶剑青 / 编著

《汪精卫卖国的理论与实践》　钱俊瑞 / 著

《抗战以来》　韬奋 / 著

《陕行纪实》　楚云 / 著

《随军散记》　沙汀 / 著

《被日寇囚系半载记》　王研石 / 著

《倭营历险记》　房沧浪 / 著

《活跃的新西北》　田影 / 编著

《保卫华北的游击战》　刘清扬　陈北鸥等 / 著

《徐州突围》　《徐州突围》编委会 / 编

《沦亡的平津》　长江　小方等 / 著

《淞沪火线上》　胡兰畦等 / 著

《瞻回东战场》　长江　罗平等 / 著

《东线的撤退》　胡兰畦等 / 著

《抗战中的西北》　徐盈 / 著

《鲁闽风云》　徐盈等 / 著

《西线生活》　西北战地服务团集体创作

《中国解放区见闻》　［美］福尔曼著 / 朱进译

《全面抗战论》　潘汉年 / 著

《日本的间谍》　范士白自述 / 尊闻译

《日本大陆政策的真面目》　国难资料编辑社 / 编

《民众动员论》　李公朴 / 著

《中国外交史》　钱亦石 / 编著

《太平洋军事地理》　蒋震华 / 著

《世界经济地理讲话》　思慕 / 著

《列强军力论》　［德］马克斯·威纳尔著 / 宾符　仲持　梅益等译

《近代国际关系史》　张铁生 / 著

《太平洋现势手册》　沈志远　石啸冲 / 编著

《近代世界政治史》　钱亦石 / 著

《从战争到和平——一九四五年的世界政治》　乔木 / 著

《战后日本问题》　思慕 / 著

《最近一年间的国际动态（1946.7–1947.6）》　《东北日报》社 / 编

《论政党》　翟放 / 著

《法与宪法》　韩幽桐 / 编著

《中华民国宪法刍议》　罗家衡 / 著

《民主·宪法·人权——作之民》　费孝通 / 著

《宪法论初步》　潘念之 / 著

《对反民主的抗争》　韬奋 / 著

《农村改进的理论与实际》　江恒源 / 著

《上海产业与上海职工》（上下）　朱邦兴　胡林阁　徐声 / 合编

《陶行知教育论文选辑》　陶行知著 / 方与严编

《中国通货膨胀论》　杨培新 / 著

《中国及其未完成的革命》　H・普拉特著 / 蒋天佐译

《中国的建设问题与人的训练》　卢作孚 / 著

《论中国特殊性及其他》　艾思奇 / 著

《中国经济问题讲话》　钱俊瑞　徐雪寒　王渔邨　姜君辰

骆耕漠 / 合著

《中国经济的道路》　许涤新 / 著

《中国财政之病态及其批判》　孙怀仁 / 著

《官僚资本论》　许涤新 / 著

《五四运动之史的评价》　陈端志 / 著

《中国通史简编》（上下）　中国历史研究会　范文澜 / 主编

《论文学的工农兵方向——读〈在延安文艺座谈会上的讲话〉》

雪苇 / 著

《中国近代史（上编　第一分册）》　武波 / 编著

《文学百题》　傅东华 / 编

《中国史学之进化》　周谷城 / 著

《论民族形式问题》　胡风 / 著

《论批评》　荃麟等 / 著

《中国史纲》（第一卷上下、第二卷上下）　翦伯赞 / 著

《近代中国思想学说史》（1–4）　侯外庐 / 著

《中国政治思想史》（上下）　吕振羽 / 著

《中国哲学史纲要》　向林冰 / 著

《中国政治史讲话》　钱亦石 / 著

《中国社会经济史纲》　王渔邨 / 著

《新财政学大纲》　千家驹 / 著

《太平天国革命运动论文集——金田起义百周年纪念》

华北大学历史研究室 / 编

《理性与自由——文化思想批评论文集》　胡绳 / 著

《战斗者的诗人》　黄药眠 / 著

《国语文法》　曹朴 / 著

《教育哲学》　张栗原 / 著

《妇女问题讲话》　杜君慧 / 著

《婚姻 · 子女 · 继承》　沙千里 / 著

《性教育新论》　布士克　雅各生合著 / 董秋斯译

《狱中杂感》　杜重远 / 著

《七人之狱》　沙千里 / 著

《爱迪生传》　伍况甫 / 译

《歌德自传》（上下）　歌德著 / 思慕译

《尼赫鲁自传》　［印度］尼赫鲁著 / 毕来译

《列宁传》　［苏］凯尔任采夫著 / 企程　朔望译

《罗斯福总统传》　C. Mackenzie 著 / 张尚之译

《托尔斯泰传》（1–3）　［英］阿尔麦 · 莫德著 / 徐迟译

《革命文豪高尔基》　［美］亚历山大·康恩著 / 韬奋编译

《鲁迅纪念特辑》　新中国文艺社 / 编

《回忆鲁迅先生》　萧红 / 著

《人民文豪鲁迅》　平心 / 著

《亡友鲁迅印象记》　许寿裳 / 著

《鲁迅思想研究》　何干之 / 著

《鲁迅研究》　夏征农 / 编

《过来的时代：鲁迅论及其他》　雪峰 / 著

《电影戏剧表演术》　洪深 / 著

《日常心理漫谈》　［美］约瑟夫·查斯特罗著 / 曾宝施译

《心理常识漫话》　朱智贤　杨云美 / 著

《读书的方法与经验》　王任叔 / 著

《美国黑人生活纪实》　［美］加德维尔　斯坦倍克著 / 董秋斯译

《初访美国》　费孝通 / 著

《事业与成功》　［美］马尔腾著 / 汪原放译

《萍踪寄语（初集）》　韬奋 / 著

《一生的幸福前途——〈生活周刊〉信箱选集》　生活书店 / 编选

《深刻的印象》　生活周刊社 / 编

《海外的感受》　生活书店编译所 / 编

ISBN 978-7-108-04648-2
9 787108 046482 >
定价：14.00元